© A. & C. Black (Publishers) Limited, London, 1984
Titre original : Tadpole and frog
© De Boeck-Wesmael, s.a., 1988
203, Avenue Louise, 1050 Bruxelles
D 1987/0074/194
ISBN 2-8041-0821-X

Exclusivité en France :
Editions Gamma .
77, rue de Vaugirard
75006 Paris
ISBN 2-7130-0890-5
Dépôt légal : D 1987/0195/55

Exclusivité au Canada :
Les Editions Ecole Active
2244, rue Rouen
Montréal H2K 1L5
Dépôts légaux :
1e trimestre 1988
Bibliothèque nationale du Québec
Bibliothèque nationale du Canada
ISBN 2-89069-174-8

Imprimé en Belgique

Le têtard
et la grenouille

Christine Back
Photos de Barrie Watts

Voici le frai d'une grenouille.

As-tu déjà trouvé dans un étang ou un fossé les œufs pondus par une grenouille ?

Ces grappes de gelée forment le **frai.** Regarde tous ces points noirs...
Ce sont les œufs de la grenouille. Certains se transformeront en jeunes grenouilles comme celle-ci.

Au fil des images, tu découvriras comment les œufs se transforment en grenouilles.

Voici une grenouille mâle et une grenouille femelle. La femelle est en train de pondre.

Au printemps, les grenouilles pondent leurs œufs dans les étangs et les fossés. Ce mâle est à califourchon sur la femelle ; il attend qu'elle ponde ses œufs.

La femelle pond des centaines d'œufs dans l'eau.
Le mâle les arrose de sa semence liquide.

Les œufs tombent au fond de l'étang.
Les grenouilles ne s'en occupent pas ; elles les abandonnent.

Chaque œuf est enfermé dans une boule de gelée.

Voici un œuf à l'intérieur de sa boule de gelée.

Sur cette photo, la boule de gelée est agrandie.
En réalité, elle a plus ou moins la taille d'un petit pois.

Ces boules de gelée collées ensemble forment le frai.
Elles flottent à la surface de l'étang, là où l'eau est la plus
chaude, car la chaleur aide les œufs à se développer.
Bientôt, les œufs commencent à changer de forme et se
couvrent de petites bosses.

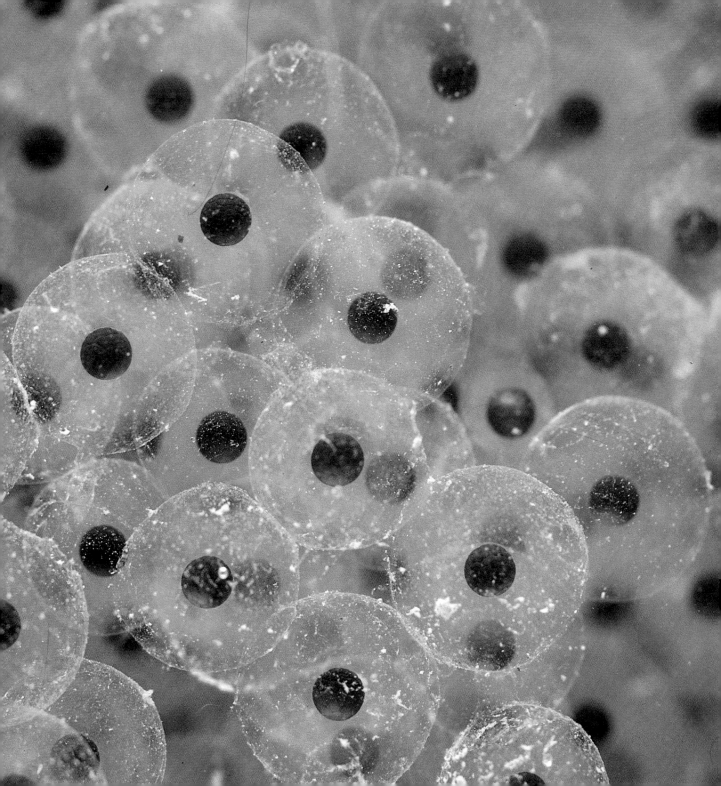

Les œufs se transforment en têtards.

Les œufs changent très vite de forme.
Au bout de quatre jours, ils ressemblent à ceci.

Au bout de sept jours, les œufs sont presque devenus des têtards.
Sur la grande photo, on voit déjà la tête et la queue du têtard.

Les têtards sortent des boules de gelée.

Au bout de dix jours, les têtards sont prêts à sortir des boules de gelée.
La gelée se ramollit et les têtards s'en libèrent en se tortillant.

Regarde la grande photo. Les têtards se sont regroupés. Ils se posent sur la gelée ou sur des plantes.

Les têtards respirent sous l'eau.

Le têtard respire sous l'eau grâce à des **branchies** placées à
l'extérieur de son corps.
Sur la photo, ces branchies sont bien visibles.
Voici le dessin d'un têtard avec ses branchies.

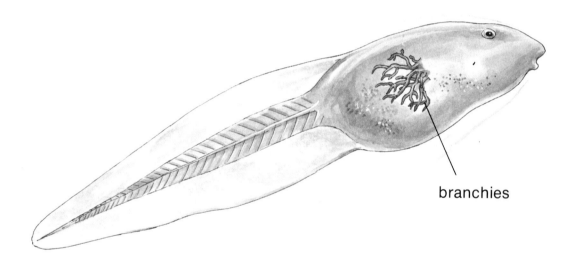

branchies

Le têtard nage en remuant la queue. Il se nourrit des plantes
minuscules qui poussent dans l'eau.

Les pattes arrière du têtard se développent.

Au bout de cinq semaines, les pattes arrière du têtard se sont développées et les branchies extérieures ont disparu. Le têtard peut encore respirer sous l'eau, grâce à des branchies **internes**.

Les minuscules têtards ont de nombreux ennemis.

Celui-ci est attaqué par un scorpion d'eau.
Beaucoup de têtards se font manger par d'autres animaux.

Bientôt, le têtard ne peut plus respirer sous l'eau.

Au bout de six semaines, les poumons se développent. Le têtard n'utilise plus ses branchies ; il respire de l'air, de la même façon que nous. Il doit donc monter à la surface de l'eau pour respirer.

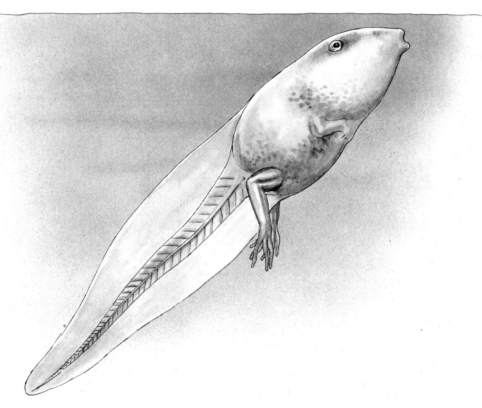

Bientôt, les pattes avant se développent.
Sur la photo, le têtard est âgé de dix semaines.

Le têtard se nourrit de petits animaux.

Le têtard se nourrit maintenant de petits animaux qui vivent dans l'eau.

Regarde ce dessin.

Avec sa queue raccourcie, le têtard ressemble de plus en plus à une grenouille.
Sur la photo, le têtard est âgé de douze semaines.

Le têtard s'est transformé en grenouille et vit sur la terre ferme.

Au bout de quinze semaines, le têtard s'est transformé en grenouille.

La petite grenouille quitte l'eau pour vivre sur la terre ferme. Elle bondit d'un endroit à l'autre grâce à ses puissantes pattes arrière et ne retourne dans l'étang que pour s'y baigner.

La petite grenouille grandit.

Bientôt, la grenouille quitte les bords de l'étang, mais elle choisit toujours des endroits humides. Elle se nourrit d'insectes, de **scarabées** et de vers.

Au fur et à mesure qu'elle grandit, elle ressemble de plus en plus à ses parents. Regarde la photo. Cette femelle a un an. Au printemps prochain, elle cherchera un étang et y pondra des œufs comme ceux-ci.

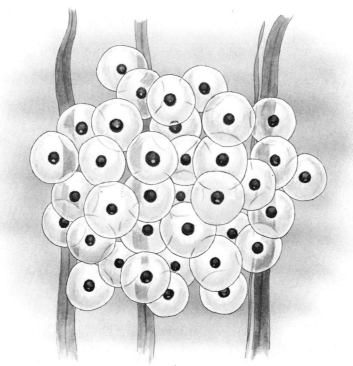

Devine ce que deviendront les œufs...

Pourrais-tu raconter avec tes propres mots comment les œufs de grenouilles se transforment en jeunes grenouilles? Ces images peuvent t'aider.

Si tu veux voir grandir des têtards, installes-en dans un bocal.
N'oublie pas d'y déposer une pierre assez grande, qui dépassera
la surface de l'eau.

PETIT LEXIQUE

Branchie (la) : les branchies sont des organes spéciaux qui permettent au têtard de respirer en puisant l'oxygène qui se trouve dans l'eau. Elles se développent en forme de petites branches.

Frai (le) : voir explication dans ce livre page 6.

Interne (adj.) : qui se trouve à l'intérieur. Ici, à l'intérieur du corps du têtard.

Scarabée (le) : insecte aux ailes dures (les élytres), ayant des antennes et une bouche qui peut broyer les aliments.